KT-223-464

rororo sport
Herausgegeben von Bernd Gottwald

Sabine Letuwnik / Jürgen Freiwald

Bodytrainer für Männer:

FIT VON KOPF BIS FUSS

Das 10-Minuten-Programm

Mit Fotos von Horst Lichte

Rowohlt

Originalausgabe
Veröffentlicht im Rowohlt Taschenbuch Verlag GmbH,
Reinbek bei Hamburg, Juni 1995
Copyright © 1995 by Rowohlt Taschenbuch Verlag GmbH,
Reinbek bei Hamburg
Umschlaggestaltung Peter Wippermann/Jürgen Kaffer
(Foto: FPG/Bavaria)
Satz Sabon und Frutiger PostScript Linotype Library,
QuarkXPress 3.31
Druck und Bindung Clausen & Bosse, Leck
Printed in Germany
1490-ISBN 3 499 19439 2

Inhalt

Die Programme

Vorwort

Fitneß und eine gute Figur gehören heute zum Bild des Mannes. Viele Männer haben jedoch Probleme, ihre Fitneß und Figur zu entwickeln und zu halten. Aber für einen gesunden und schönen Körper kann man etwas tun. Man kann gezielt seinen Lebensstil ein wenig verändern und ein spezielles Fitneß- und Figurprogramm in Angriff nehmen.

Viele Männer sind privat und beruflich stark eingespannt. Selbst wenn gute Vorsätze vorhanden sind, scheitert die Durchführung geeigneter Programme häufig an der mangelnden Zeit. Dieses Buch bietet die Möglichkeit, sich zu Hause ein individuelles Programm zusammenzustellen, das wenig Zeit kostet und schnell Erfolg bringt.

Der **Bodytrainer** ist ein spezielles Fitneß- und Figurtraining für den Mann. Obwohl es sich in erster Linie um ein spezielles Trainingsprogramm handelt, wollen wir Ihnen darüber hinaus Tips zur persönlichen Fitneß- und Lebensplanung geben. Betrachten Sie die Durchführung des **Bodytrainer**-Programms als angenehme Freizeitgestaltung, gewinnen Sie eine positive Einstellung zu den Übungen.

Obwohl Sie täglich nur ca. 10–15 Minuten für eine verbesserte Fitneß und Figur investieren müssen, sollten Sie diese Zeit fest in Ihren Tagesablauf einplanen. Wenn Sie nicht gern allein üben, dann tun Sie sich mit einer Freundin oder einem Freund zusammen. Halten Sie sich an die vorgesehenen Termine, sonst kommt Ihnen immer etwas dazwischen.

Danken möchten wir Firma Reebok für die Ausstattung unseres

Fotomodells. Ebenso danken möchten wir Horst Lichte, der die Übungen wieder einmal ins rechte Licht rückte.

Viel Spaß und Erfolg wünschen
Sabine Letuwnik und Jürgen Freiwald

Fitneß, Figur und Wohlbefinden

Körper und Geist

Das **Bodytrainer**-Programm ist aktive Körperpflege. Mit dem **Bodytrainer** pflegen Sie Ihren Körper, dessen Erscheinung die Nahtstelle zur Außenwelt ist. Sein Aussehen bestimmt den ersten Eindruck Ihrer Mitmenschen von Ihnen.
Fitneß- und Figurprobleme haben natürlich klar erkennbare Ursachen. Unser Leben ist von Bewegungsarmut und oft sehr einseitigen Bewegungsabläufen gekennzeichnet. Im gleichen Maße wie in der heutigen Lebensumwelt die körperlichen Beanspruchungen abgenommen haben, haben sich die psychischen Anforderungen deutlich erhöht. Das Verhältnis zwischen persönlicher Beanspruchung und Belastbarkeit verschiebt sich zunehmend in Richtung Beanspruchung. Bei abnehmender Belastbarkeit kommt es zu Überforderungen.
Obwohl allgemein bekannt ist, daß sich die individuelle Belastbarkeit u. a. durch Training steigern läßt, hat sich das Freizeitverhalten zunehmend in Richtung Nichtstun bzw. passiv-konsumierenden Lebensstil verschoben. Die Folge einer solchen Lebensführung zeigt sich in mangelnder Fitneß und Leistungsfähigkeit. Viele Menschen sind weder in der Freizeit noch bei der Arbeit belastbar. Schon kleinste alltägliche Anstrengungen wie Treppensteigen lassen sie aus der Puste kommen. Instinktiv vermeidet man dann solche Beanspruchungen, z. B. durch die Benutzung eines Lifts, was dann natürlich wieder eine verpaßte Gelegenheit ist.
Mit abnehmender Fitneß verändert sich die Figur, die Muskulatur wird weniger und Fettpolster setzen an. Es ist klar, daß jeder Mensch unterschiedliche figürliche Anlagen hat und nur im Rahmen dieser Anlagen trainierbar ist. Der eine hat von Natur aus eine mehr, der an-

dere eine weniger athletische Figur; doch es liegt bei jedem Menschen selbst, seine Figur positiv zu beeinflussen.
Ist man erst mal mit seinem Erscheinungsbild unzufrieden, verspürt man eine abnehmende Fitneß, leidet auch das Selbstbewußtsein, es entsteht ein Teufelskreis, der nur schwer zu durchbrechen ist.

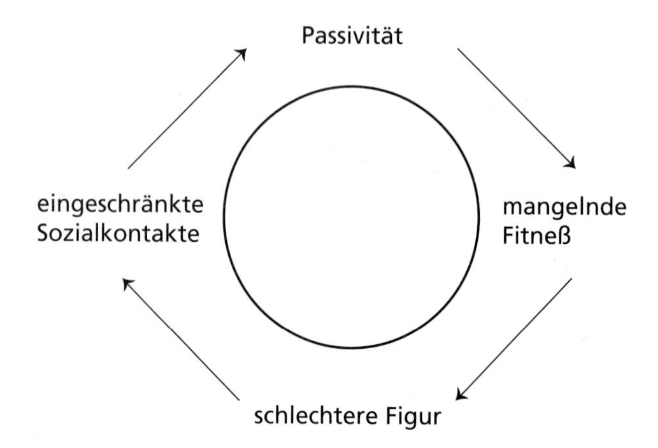

Die Lösung heißt: Fitter sein! Während man früher unter Fitneß eher die körperliche Leistungsfähigkeit verstand, faßt man heute den Begriff Fitneß weiter. Fitneß ist ein ganzheitlicher Prozeß, er bezieht Körper und Seele ein. Fitneß beginnt im Kopf – die richtige mentale Einstellung ist wichtig. Eine gesunde Psyche läßt Sie von innen heraus schön sein und Selbstbewußtsein entwickeln, das nach außen, auf Ihre Umwelt und Ihre Mitmenschen ausstrahlt. Fitneß macht sich nicht nur an einer guten Figur fest. Geistige und körperliche Fitneß verbessert Ihre Ausstrahlung; Sie nehmen sich selbst positiver wahr, genauso wie Ihre Umwelt sie positiver wahrnimmt, wenn Sie sich fit fühlen.
Ganzheitliche Fitneß ist dabei die wichtigste Voraussetzung für einen gesunden Geist, Körper und eine gute Figur. Fit zu sein sollte sich zur Lebensphilosophie entwickeln, denn fitte Menschen haben mehr Spaß, sie leben, lieben, reisen und arbeiten intensiver.

So verwöhnen Sie sich

Gesundheit, Fitneß, eine gute Figur und Lebensfreude im Zusammenspiel sind Garanten für das persönliche Wohlbefinden. Um diese Ziele zu erreichen, müssen Sie Ihr Lebensregime gezielt planen.
Zur Entwicklung einer ganzheitlichen Fitneß gehören sowohl Phasen der geistigen und körperlichen Beanspruchung als auch Entlastung. Beide Phasen sind für die Entwicklung von körperlicher und geistiger Fitneß von gleichberechtigter Bedeutung. Planen Sie nicht nur konsequent Ihre Belastungs-, sondern auch Ihre Ruhephasen. Bedenken Sie, daß Sie während der Phasen der Belastung *körperliche* und *geistige* Energien verbrauchen. Die Energien werden in den Phasen der Entlastung wieder aufgebaut. Dieses Wissen um die Bedeutung der Ruhephasen ist wichtig, sollen Freizeitsport und spezielle Trainingsprogramme wie der **Bodytrainer** nicht zusätzlichen Streß verursachen. Gehen Sie die sportlichen Aktivitäten nicht verbissen an; haben Sie auch den Mut und die Muße zur Entspannung.
Menschen, die sich selbst mögen, pflegen sich. Nur wer sich selbst leiden kann, ist bereit, auch von anderen geliebt zu werden. Körper, Geist und Seele müssen eine Einheit bilden, und sich zu pflegen heißt, auch mal Ihre Seele baumeln lassen:

- Für die Phase des Aufbauens geistiger und körperlicher Energien ist ausreichender Schlaf von größter Wichtigkeit. Unausgeschlafene Menschen erkennt man von weitem an ihrer fehlenden positiven Ausstrahlung.
- Setzen Sie sich in ein Café, seien Sie auch mal so richtig faul.
- Verwöhnen Sie Ihren Geist mit netten, intelligenten Gesprächspartnern, einem guten Buch, dem Hören Ihrer Lieblingsmusik.

- Genießen Sie alleine, zu zweit oder in Ihrem Freundeskreis ein gutes Essen – und das ganz ohne schlechtes Gewissen!
- Achten Sie auf Ihre Kleidung. Ein gepflegtes Aussehen steht in Wechselbeziehung zu Ihrer Persönlichkeit. Ein gepflegtes Aussehen wirkt sowohl auf Ihre Umwelt als auch auf Ihr Selbstbewußtsein!
- Pflegen betrifft aber auch die Körperpflege – verwöhnen Sie sich und Ihre Mitmenschen mit einem guten After Shave oder Eau de Cologne.
- Gehen Sie in ein Thermalbad und/oder einen Whirlpool, saunieren Sie, spüren Sie im Winter die wohltuenden, positiven Wirkungen eines Solariums.
- Lassen Sie sich massieren. Besonders eine Bindegewebsmassage kann das Fitneß- und Figurprogramm gut ergänzen; aber auch entspannende Ganz- und Teilkörpermassagen tun Seele und Körper gut.
- Lernen Sie spezielle Formen der Entspannung. Belegen Sie z. B. einen Kurs in Entspannungsverfahren, lernen Sie Techniken, um sich zu entspannen (Autogenes Training, Yoga, Tai-Chi, Feldenkrais u. a.).

Sport für ein aktives Leben

Die Durchführung des **Bodytrainer**-Programms wird Ihnen helfen, einen aktiveren Lebensstil zu finden. Nach nur wenigen Wochen werden Sie über das **Bodytrainer**-Programm hinaus aktiv sein wollen. Wenn das Workout erst mal so selbstverständlich ist wie das tägliche Zähneputzen, dann kann man es sehr gut durch weitere sportliche Aktivitäten ergänzen.
Besonders zu empfehlen sind Aktivitäten, die zu einer verbesserten Ausdauer führen. Man weiß, daß ein Training der Ausdauer die Risiken der Herz- und Gefäßerkrankungen günstig beeinflußt. Diese Erkrankungen sind in den Zivilisationsgesellschaften nach wie vor der Killer Nr. 1. Ebenso wird Streß, ein weiterer Hauptrisikofaktor für Herz-Kreislauf-Erkrankungen (Herzinfarkt!), durch ein Ausdauertraining merkbar reduziert; Streß schwächt die Immunabwehr und macht für viele Krankheiten anfällig.
Ein weiterer Aspekt ist die Tatsache, daß die Verbesserung der Ausdauer zu einer verbesserten Konzentrationsfähigkeit führt und Sie sowohl im Privat- als auch im Berufsleben leistungsfähiger macht.
Besonders empfehlenswerte Ergänzungssportarten für den **Bodytrainer**, die in erster Linie die Ausdauer verbessern, sind:

- schnelles Gehen (Walking)
- Wandern
- Laufen (Jogging)
- Radfahren (Mountainbiking, Rennrad, Touring)
- Schwimmen

Einige Tips:
Grundsätzlich sollten Sie alle Ergänzungssportarten in einer ansprechenden Umgebung ausüben. Wenn Sie nicht unbedingt das Alleinsein suchen (auch das kann wichtig sein!), führen Sie die Ergänzungssportarten gemeinsam mit Freunden durch. Laufen Sie im Wald bzw. in freier Natur, wählen Sie für das Radfahren eine reizvolle Gegend.

Beim *Laufen* sollten Sie sich jederzeit mit dem Partner unterhalten können, dann befinden Sie sich im günstigen Belastungsbereich. Wenn Sie alleine unterwegs sind: Laufen Sie spielerisch, ohne Leistungsstreß. Orientieren Sie sich instinktiv an der eigenen Leistungsfähigkeit. Nehmen Sie sich keine Zeiten oder Kilometerleistungen vor. Legen Sie Gehpausen ein, wenn es Ihnen danach ist. Beenden Sie den Lauf, bevor er quälend wird. Sie werden über Ihre eigene Leistungsfähigkeit erstaunt sein und sich an den raschen Leistungsfortschritten freuen! (Buchtip: Klaus Lubbers: Vom Trotten – Die Kunst des gemächlichen Laufens. rororo 9420.)

Das gleiche gilt für das *Radfahren*. Unternehmen Sie Radtouren durch reizvolle Landschaften. Falls Sie zu mehreren unterwegs sind, unterhalten Sie sich, kehren Sie ein. Auch ein Bier ist erlaubt, lassen Sie sich abends wohlig-müde ins Bett fallen...

Besonders empfehlenswert ist die *Kombination* der Sportarten Laufen, Radfahren und Schwimmen. Absolvieren Sie einen kleinen Triathlon. Verteilen Sie die jeweiligen Disziplinen auf mehrere Trainingszeitpunkte. Jede Woche eine halbe Stunde Laufen und Schwimmen sowie eine Stunde Radfahren.

Ein Wort zur Ernährung

Ihre persönliche Fitneß ist nicht nur von gezielten Trainingsmaßnahmen abhängig, sondern kann durch eine vernünftig zusammengestellte Ernährung hervorragend unterstützt werden. Fettreiche Nahrung liegt schwer im Magen und macht körperlich und geistig träge.
Auch um Ihre Traumfigur zu erreichen, sollten Sie sich darüber im klaren sein, daß körperliche Übungen allein nicht genügen. Indem Sie abnehmen, können Sie das **Bodytrainer**-Programm gut unterstützen.
Die Figur ist im wesentlichen durch die Nahrungsaufnahme und den Nährstoffverbrauch (Kalorienbilanz) zu beeinflussen. Nehmen Sie mehr Kalorien zu sich, als Sie verbrauchen können, werden Sie unweigerlich zunehmen.
Denken Sie daran, daß Fett etwa doppelt so viele Kalorien hat wie Kohlenhydrate oder Eiweiße. Während die Speichermenge von Kohlenhydraten und Eiweißen im Körper begrenzt ist, können die Fettdepots fast unendlich wachsen. Anfangs setzen die Fettpolster vorwiegend an den bekannten Stellen Bauch, Taille und Hüfte an, später zunehmend am gesamten Körper.
Körperfett wird dadurch abgebaut, daß Sie z. B. durch sportliche Übungen einen erhöhten Energieverbrauch haben, aber gleichzeitig der Energiebedarf aus der zugeführten Kalorienmenge nicht gedeckt werden kann. Daraufhin werden Fette aus dem Fettgewebe gelöst und zu Energie zerlegt. Sie verlieren an Körpergewicht. Um diesen Prozeß in Gang zu setzen, eignet sich ganz besonders das **Bodytrainer**-Programm.
Parallel zum Übungsprogramm sollten Sie auf eine gesunde und aus-

gewogene Ernährung achten. Sie muß fettarm sein und ausreichend Vitamine, Mineral- und Ballaststoffe enthalten.
Nahrungsmittel mit einem hohen Anteil an Kohlenhydraten sind nährstoffreich und enthalten die für die Verdauung so wichtigen Ballaststoffe. Darunter fallen alle Obst- und Gemüsesorten sowie Getreideprodukte (Vollkornbrot, ungeschälter Reis u. a.). Essen Sie Müsli mit frischem Obst, (Mager-)Milchprodukte, Joghurt, Salate! Wer gerne Fleisch ißt, kann mageres Geflügel oder Fisch auf den Speiseplan setzen.
Vermeiden Sie fette Wurst, fetten Käse, fettes Fleisch, speziell Schweinefleisch. Essen Sie mit Appetit und Freude! Schlingen Sie das Essen nicht, essen Sie langsam, kauen Sie oft – die Sättigung tritt immer mit einer zeitlichen Verzögerung ein. Wer schnell ißt, vertilgt immer zuviel Kalorien. Verzehren Sie Ihre Mahlzeiten langsam und mit Pausen! Kaufen Sie qualitätsbewußt ein; gönnen Sie sich auch mal etwas Exklusives; verzehren Sie weniger, dafür jedoch mit verstärktem Genuß. Viele Menschen, die mit ihrer Figur nicht zufrieden sind, vergessen, daß auch in den Getränken viele Kalorien enthalten sind. Ob sie nun den morgendlichen Kaffee mit mehreren Zuckerstückchen versüßen oder auf das abendliche Bier nicht verzichten wollen, durch kalorienarme oder -freie Getränke können Sie eine ganze Menge Kalorien sparen!
In Kombination mit der Veränderung Ihrer Eß- und Trinkgewohnheiten können Sie durch das **Bodytrainer**-Programm gezielt Einfluß auf Ihre Fitneß und Figur nehmen. Übungen mit hohen Wiederholungszahlen und leichten bis mittleren Widerständen, wie sie im **Bodytrainer**-Programm angeboten werden, hemmen erfahrungsgemäß den Appetit. Legen Sie Ihre Übungen ein bis maximal zwei Stunden vor die übliche Essenszeit. Sie werden über Ihren gezügelten Appetit staunen. Oder Sie lassen das Essen auch einmal ausfallen und legen das **Bodytrainer**-Programm auf den Zeitpunkt einer Mahlzeit, es lohnt sich!

Das Bodytrainer-Programm

So funktioniert's

Wenn Sie die **Bodytrainer**-Übungen in diesem Buch regelmäßig durchführen, werden Sie nicht nur fitter werden, sondern auch eine *dauerhaft* verbesserte Figur haben. Die Übungen sind wissenschaftlich fundiert und keine Modeerscheinungen, wie sie immer wieder aus den USA kommen.

Das **Bodytrainer**-Programm verbessert Ihre Fitneß und ist auf bestimmte Zonen Ihres Körpers ausgerichtet, das Gewebe soll gestrafft werden. Ob an den Armen, der Brust, dem Bauch oder dem Gesäß – immer liegt Muskulatur unter dem Bereich, den Sie am liebsten verändern möchten. Wenn Sie diese Muskulatur gezielt trainieren, verlieren Sie an Körperfett. Parallel dazu werden Ihre Muskeln kräftiger. Nach einigen Übungseinheiten nimmt Ihre Muskulatur zu, das Fettgewebe weiter ab. Ihre Figur wird durch den höheren Anteil an Muskulatur und den geringeren Anteil an Körperfett straffer.

Die Übungen sind in die Bereiche «Arme und Schultergürtel», «Bauch, Taille und Rücken» sowie «Gesäß und Beine» aufgegliedert. Anfangs sollten Sie sich ein ausgewogenes Programm mit Übungen aus allen drei Bereichen zusammenstellen (vgl. Stufe 1).

Wenn Sie nach einigen Wochen über eine grundlegende Fitneß in allen Bereichen verfügen, sollten Sie Schwerpunkte, z. B. Bauch und Taille, setzen.

Die **Bodytrainer**-Übungen sind *schonend* und *effektiv*. Im Gegensatz zu gehaltenen Übungen, die mit nur geringen Bewegungsausschlägen arbeiten, werden die Bewegungen des **Bodytrainer**-Programms weiträumiger und dynamisch-kontrolliert durchgeführt. Das Prinzip der Übungen ist eine hohe Wiederholzahl bei geringen Widerständen (Intensitäten).

Dies hat mehrere Vorteile:

- Der Kalorienverbrauch ist bedeutend höher als bei gehaltenen Übungen.
- Das richtige Funktionieren Ihrer Gelenke wird langfristig sichergestellt, die Gelenke werden belastbarer.
- Beim Üben sollte der Atem nicht angehalten werden, jederzeit sollte ruhig und gleichmäßig geatmet werden. Dies ist bei gehaltenen Übungen oder bei Übungen mit nur geringem Bewegungsausschlag nicht immer möglich.
- Durch die Ausrichtung der Übungen auf die Zonen, die Sie ganz besonders formen wollen, lassen Sie unnötige Übungen weg, sparen Zeit und üben äußerst effektiv.

Wie Sie sehen können, hat das **Bodytrainer**-Programm handfeste Vorteile. Machen Sie mit, und lassen Sie sich durch Ihre Erfolge überzeugen!
Erfolge für die Formung von Bauch und Taille können Sie nur dann erzielen, wenn Sie täglich mindestens *15 Minuten* üben. Ebenso wichtig wie die Häufigkeit der Übungen ist es, dauerhaft, durchgängig über mehrere Wochen und Monate zu üben. Hier ist tatsächlich einmal keinmal.
Schon nach kurzer Zeit, meist nach nur ein oder zwei Übungssequenzen, fühlen Sie sich *wohler* und *straffer*, denn durch das **Bodytrainer**-Programm erhöht sich innerhalb kürzester Zeit der Spannungszustand der Muskulatur, der sogenannte Tonus. Dies führt spontan zu einem besseren Wohlbefinden.
Meßbare Zuwächse Ihrer Fitneß können, abhängig von Ihrem konditionellen Zustand, schon nach einer Woche festgestellt werden. Erste positive, sicht- und meßbare Ergebnisse einer verbesserten Figur können Sie nach zwei bis sechs Wochen verzeichnen. Sie müssen nur ‹dranbleiben›.

Das **Bodytrainer**-Programm soll Ihnen helfen, Gesundheit und Wohlbefinden zu entwickeln; es werden keine Maximalleistungen abgefordert. Das Programm wird um so erfolgreicher sein, je mehr Sie *qualitativ* trainieren. Trainingsprogramme sind fast immer zum Scheitern verurteilt, wenn der Kopf dem Körper das Leistungspensum vorgibt. Hören Sie in Ihren Körper hinein – nehmen Sie ihn und seine Signale wahr, und richten Sie sich nach Ihren Empfindungen. Nehmen Sie die Trainingspläne als Rahmenrichtlinie für Ihr Training. Trainieren Sie trotzdem wie ein Kind – nach Lust und Laune – mal mehr, mal weniger, mal mit längeren Pausen, mal mit kürzeren:

- Sind Sie heute leistungsbereit – fällt Ihnen das Pensum leicht? Dann machen Sie einige Wiederholungen oder Übungen mehr.
- Fühlen Sie sich heute schlapp und müssen sich quälen? Dann geben Sie Ihrem Körper nach, reduzieren Sie das Training, oder brechen Sie es ab!

Jeder Mensch hat Schwankungen seiner Leistungsfähigkeit. Die Schwankungen sind von vielen Faktoren abhängig. Ein Faktor ist der sogenannte Biorhythmus. Er funktioniert wie eine innere Uhr. Sie sollten diese Uhr beachten. Gibt es Zeiten, zu denen Sie sich grundsätzlich fit fühlen? Gibt es andererseits Zeiten, zu denen Sie sich immer antriebsschwach und schlapp fühlen? Bei vielen Menschen ist der frühe Nachmittag eine Zeit, während der Sie ein Leistungstief haben, während sie sich am frühen Abend fitter fühlen. Beziehen Sie Ihren persönlichen Biorhythmus in Ihre Trainingsplanung ein, trainieren Sie zu Ihren fitten Zeiten!
Mit einer verbesserten Fitneß wird sich Ihre Gesundheit vervollkommnen und stabiler werden. Gesundheit ist nicht nur auf Ihre körperliche Verfassung zu beziehen. Gesundheit bedeutet ebenso auch Wohlbefinden in seelischer und sozialer Hinsicht. Das **Bodytrainer**-Programm wirkt sowohl auf körperliche als auch auf seelische Funktionen positiv. Schon nach wenigen Wochen werden Sie die folgenden Effekte des **Bodytrainer**-Programms bei sich selbst verspüren!

Effekte des Bodytrainer-Programms

- ❑ Gezielte Formung der Figur
- ❑ Linderung von Rückenbeschwerden
- ❑ verbessertes Allgemeinbefinden
- ❑ verbessertes Körperbewußtsein
- ❑ geringere Depressionsneigung, geringere Unruhe
- ❑ emotionale Ausgeglichenheit
- ❑ tiefer, erholsamer Schlaf
- ❑ verbessertes Sozialverhalten
- ❑ verbesserte Konzentrationsfähigkeit
- ❑ verbesserte Streßbewältigung
- ❑ verminderter Konsum von Alkohol und Medikamenten
- ❑ bewußteres Ernährungsverhalten
- ❑ vermindertes (Über-)Gewicht, Fettabbau
- ❑ Schutz vor Herz-Kreislauf-Erkrankungen
- ❑ Senkung des Fettspiegels im Blut
- ❑ verminderte bzw. ausbleibende Streß- und Spannungskopfschmerzen
- ❑ gestärkte Widerstandskraft gegenüber Krankheiten
- ❑ verbesserte Verdauungstätigkeit

Einige Fragen, bevor Sie beginnen

Wie alt sind Sie?

Wenn Sie dreißig Jahre oder jünger sind und sich als gesund und sportlich aktiv einstufen, dann können Sie sofort starten.
Wenn Sie über dreißig Jahre alt und gesund sind, sollten Sie es langsam angehen lassen; besonders dann, wenn Sie in den letzten Jahren keinen Sport getrieben haben. Beginnen Sie zuerst mit Stufe 1. Erst wenn Sie es problemlos schaffen, wählen Sie Stufe 2.
Wenn Sie untrainiert und über vierzig Jahre alt sind, sollten Sie sich vor Aufnahme des Übungsprogramms bei Ihrem Hausarzt bezüglich Ihrer Gesundheit rückversichern.

Sind Sie gesund?

Wenn Sie an Krankheiten leiden, an akuten oder schon länger zurückliegenden Verletzungen oder wenn Sie organische oder orthopädische Schäden haben, dann sollten Sie unabhängig von Ihrem Alter vor Aufnahme der **Bodytrainer**-Übungen den Arzt befragen.
Der Arzt kann Empfehlungen aussprechen, ob Sie z. B. einige Übungen bevorzugt einsetzen bzw. andere Übungen aus dem Programm streichen sollten.

Sind Sie Anfänger oder schon Fortgeschrittener?

Als Anfänger sollten Sie auf jeden Fall mit dem Programm der Stufe 1 beginnen. Wenn Sie es locker schaffen und ohne folgende Beschwerden (Muskelkater) überstehen, dann können Sie sich schon etwas mehr zumuten und zur Stufe 2 wechseln.

Sind Sie übergewichtig?

Wenn Sie (noch) übergewichtig sind, sollten Sie besonders darauf achten, daß Ihr Rücken während der Übungen angespannt ist. Anfangs sollten Sie Sprünge vermeiden; ganz besonders Sprünge auf einem Bein. Ihre Gelenke werden sonst in kurzer Zeit von den ungewohnten Bewegungen, aber auch durch Ihr hohes Gewicht bedingt, überlastet sein und zu schmerzen beginnen.

Messen Sie sich nicht mit den ganz schlanken Personen. Um einige Kilo zuviel an Gewicht zu bewegen, ist eine höhere Leistung vonnöten als bei einem sehr schlanken Menschen. Da Sie gewichtsbedingt mehr leisten müssen, kommen Sie leichter aus der Puste. Strengen Sie sich, ohne falschen Ehrgeiz, trotzdem kräftig an. Setzen Sie auf die Zeit, auf die sich zunehmend entwickelnde Fitneß und die angestrebten Gewichtsverluste.

Die Belastungssteuerung: Wie anstrengend soll's sein?

Um das Trainingsprogramm richtig zu dosieren, muß man Richtlinien zur Orientierung haben. Mit dem folgend vorgestellten RPE-Test haben wir beste Erfahrungen gemacht. Der RPE-Test (Rate of Perceived Exertion = Grad der empfundenen Anstrengung) hat sich sowohl bei der Steuerung der Ausdauer- als auch der Kraftübungen bewährt. Mit der RPE kann jeder seine persönliche Anstrengung einschätzen.
Wie funktioniert's? Ganz einfach:

Warm-up / Ausdauer

Legen Sie die RPE-Skala gut sichtbar vor sich. Beginnen Sie mit der Warm-up-Übung, und versuchen Sie, die Übung so zu dosieren, daß Sie den Skalenwert der Stufe 1 oder der Stufe 2 erreichen und während der Übungszeit halten.

Kräftigungsübungen:

Führen Sie Kräftigungsübungen so durch, daß Sie die Vorgabe, z. B. RPE 13 (etwas anstrengend), erreichen. Sollten Sie den vorgegebenen Wert nicht erreichen, müssen Sie intensiver üben bzw. die Wiederholungszahlen erhöhen.

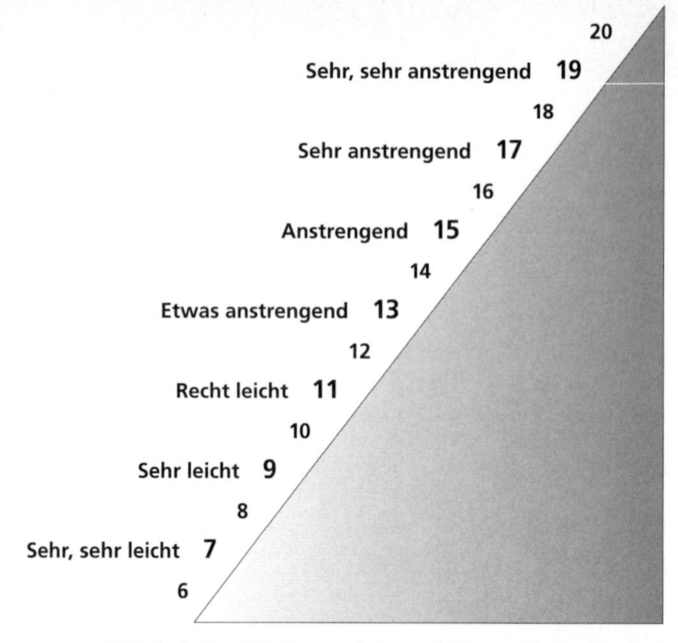

RPE-Skala (modifiziert nach Borg 1970, aus Freiwald 1991)

Beispiel:
Sie beginnen die Partnergymnastik mit der aufwärmenden und die Ausdauer fördernden Übung A 1. Laufen Sie in Ihrem persönlichen Laufrhythmus 3 Minuten durchgehend auf der Stelle. Direkt nach dem Lauf nehmen Sie sich die RPE-Skala zur Hand und schätzen Ihre persönliche Anstrengung anhand der Abstufung ein. Notieren Sie sich den Wert (z. B. RPE 15 «anstrengend»).
Wenn Sie den Test nach einigen Trainingseinheiten wiederholen, dann sollte Ihnen die Übung leichter fallen. Die verbesserte Fitness wird sich bei gleicher Übungsdurchführung (Tempo der Bewegung, Zeitdauer etc.) in einem verringerten Anstrengungsempfinden ausdrücken (z. B. RPE 11 «recht leicht»).

Warm-up – Bodytrainer – Cool-down

Eine sportliche Übungssequenz ist dreigeteilt. Das **Bodytrainer**-Programm beginnt immer mit den vorbereitenden Übungen (Warm-up). Daran schließt sich der eigentliche **Bodytrainer** an, der in den Ausklang übergeht (Cool-down).

- Das Warm-up dient der Einstimmung auf die künftige Belastung und bringt Ihren Kreislauf in Schwung. Nach dem Warm-up sind Sie auf die Belastungen des **Bodytrainer**-Programms gut vorbereitet. Steigern Sie nur langsam die Belastungen, fordern Sie sich am Anfang einer Übungssequenz nicht zu stark, denn sonst wird die Ermüdung oder gar Erschöpfung rasch eintreten. Betrachten Sie die vorbereitenden Übungen nicht als notwendiges Übel, sondern als leichten und wichtigen Einstieg ins Programm. Je besser Ihr Fitneßgrad ist, desto längere Zeit werden Sie zum Aufwärmen benötigen. Morgens ist eine etwas längere Aufwärmzeit vonnöten als abends; bei warmer Umgebungstemperatur ist das Aufwärmen gegenüber kalten Umgebungstemperaturen kürzer. Die Übungen des Warm-up sind in geschickter Zusammenstellung auch als Programm zur Verbesserung Ihrer Ausdauer geeignet (vgl. Ausdauerprogramm).
- Nach dem Warm-up folgen Dehnungsübungen. Sie machen geschmeidig und bereiten Muskeln und Gelenke auf die folgenden Belastungen des **Bodytrainer**-Programms vor.
- Der Hauptteil beinhaltet die **Bodytrainer**-Übungen. Da Sie nach dem Warm-up schon gut vorbereitet sind, sollten Sie nun auch vor hohen Belastungen nicht zurückschrecken. Die alte Weisheit «Ohne Fleiß kein Preis» hat beim sportlichen Üben ihre besondere

Gültigkeit. Die Übungen sind in Übungen für den Oberkörper, Bauch, Taille und Rücken sowie Gesäß und Beine aufgegliedert. Anfangs sollten Sie sich ein ausgewogenes Programm mit Übungen aus allen drei Bereichen zusammenstellen (vgl. Stufe 1). Wenn Sie nach einigen Wochen über eine grundlegende Fitneß in allen Bereichen verfügen, sollten Sie vermehrt Schwerpunkte setzen.

- Das Cool-down soll dann den Stoffwechsel beruhigen. Der physisch und psychisch auf Leistung eingepegelte Organismus wird langsam wieder in den Ruhezustand zurückgeführt. Verlangen Sie dem Körper keine hohen Leistungen mehr ab. Beenden Sie das **Bodytrainer**-Programm zu einem Zeitpunkt, zu dem Sie noch nicht völlig geschafft sind. Schlimmstenfalls verlieren Sie die Lust auf das nächste Mal, da das letzte Mal so anstrengend erschien, und das kann nicht in Ihrem Interesse liegen!

Eine Frage der Zeit

Die Frage nach dem Zeitaufwand wird immer wieder gestellt, es gibt aber keine allgemeingültige Antwort; sie kann nur individuell gegeben werden. In der Praxis hat es sich gezeigt, daß bei täglichem Üben ca. 10 bis 15 Minuten reine Übungszeit (**Bodytrainer**-Hauptteil) genügen, um die Übungsziele zu verwirklichen.
Wenn Sie jedoch nur dreimal in der Woche üben, sollten Sie die Übungszeit auf ca. 20 bis 30 Minuten ausdehnen.
Als Anfänger muß man noch häufig Übungen nachschlagen und benötigt noch deutlich längere Pausen. Als Fortgeschrittener sind Ihnen die Übungen zunehmend bekannt. Durch Ihre verbesserte Fitneß benötigen Sie nicht mehr so lange Pausen; die Übungsdauer kann sich dadurch verkürzen.
Wichtig ist es, daß Sie zum Üben eine positive innere Einstellung finden. Das **Bodytrainer**-Programm ist Freizeit – und davon kann man nie genug bekommen.

Überprüfen Sie Ihre Erfolge

Sowohl die Verbesserung der Figur als auch die Steigerung der Fitneß sind als Erfolg zu werten. Um die Erfolge zu überprüfen, sollten Sie folgende Tips berücksichtigen.

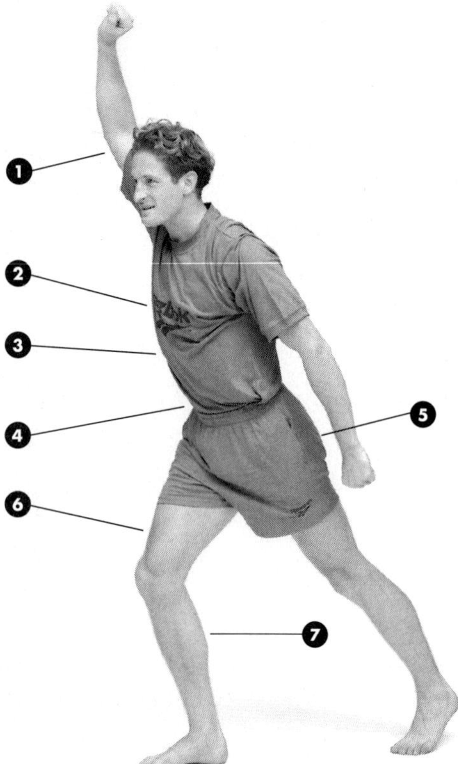

Fitneßkontrolle: Körpergewicht und Körperumfang
Kontrollieren Sie konsequent vor Beginn einer **Bodytrainer**-Übungsstunde Ihr Gewicht. Es kann als Ansporn, aber auch als Mahnung wirken. Messungen der Körperumfänge dienen der Erfolgskontrolle und sollen möglichst immer von derselben Person (Sie selbst, Freundin/Freund) durchgeführt werden. Führen Sie die Messungen in festen Zeitabständen, z. B. einmal je Woche,

Gewicht und Meßpunkte	Beginn Bodytraining	Testzeitpunkt 1	Testzeitpunkt 2
Körpergewicht	Gewicht ... kg	Gewicht ... kg	Gewicht ... kg
❶ **Oberarm** (größter Umfang bei nach vorn angehobenem Arm)	Umfang ... cm	Umfang ... cm	Umfang ... cm
❷ **Brustumfang** (in Höhe der Brustwarze)	Umfang ... cm	Umfang ... cm	Umfang ... cm
❸ **Taille** (am unteren Rippenbogen)	Umfang ... cm	Umfang ... cm	Umfang ... cm
❹ **Bauch** (drei Zentimeter unterhalb des Bauchnabels)	Umfang ... cm	Umfang ... cm	Umfang ... cm
❺ **Hüfte, inkl. Gesäß** (am Punkt des größten Umfangs)	Umfang ... cm	Umfang ... cm	Umfang ... cm
❻ **Oberschenkel** (fünf Zentimeter unterhalb des Schambeins)	Umfang ... cm	Umfang ... cm	Umfang ... cm
❼ **Wade** (am Punkt des größten Umfangs)	Umfang ... cm	Umfang ... cm	Umfang ... cm

durch. Protokollieren Sie sorgfältig Ihr Körpergewicht und die Ergebnisse der Körperumfangsmessungen. Auf dem Foto sind die Meßpunkte eingezeichnet, die Sie in festgelegten Zeitabständen, z. B. alle zwei Wochen, kontrollieren sollen. Achten Sie bei den Messungen darauf, daß Sie das Maßband korrekt anlegen!

Fitneßkontrolle: Ausdauer

Absolvieren einer Ausdauerübung, z. B. Laufen auf der Stelle (Warm-up, Übung 1, Seite 41), in Ihrem persönlichen Laufrhythmus für z. B. 5 Minuten. Am Ende der Übung schätzen Sie Ihre Anstrengung anhand der RPE-Skala ein.

Nach einigen Übungseinheiten führen Sie die gleiche Belastung mit gleicher Dauer durch. Sind Sie fitter, wird sich bei gleicher Übungsintensität und -dauer der RPE-Wert nach unten verschieben, z. B. von 15 (anstrengend) zu 11 (recht leicht).

	Test 1	**Test 2**	**Test 3**	**Test 4**
Ausdauertest	... RPE	... RPE	... RPE	... RPE

Fitneßkontrolle: Kräftigungsübungen

Das gleiche Prinzip wie bei der Ausdauertestung wenden Sie bei der Fitneßkontrolle der Kraft an. Führen Sie eine Übung, z. B. Liegestütze, mit definierter Wiederholungszahl und Übungsausführung durch.

Nach einigen Übungseinheiten führen Sie die gleiche Übung mit der gleichen Wiederholungszahl durch. Sind Sie fitter geworden, wird sich Ihre Einschätzung auf der RPE-Skala verändern, z. B. von 17 (sehr anstrengend) zum Wert 13 (etwas anstrengend).

	Test 1	**Test 2**	**Test 3**	**Test 4**
Krafttest	... RPE	... RPE	... RPE	... RPE

Die Kleidung

Bei der Fitneßkleidung ist darauf zu achten, daß Naturfasern (Baumwolle) oder speziell entwickelte Fasern (Taktel, Goretex) besser zu tragen sind als Kleidungsstücke mit ungeeigneten Kunstfasern. Sie bilden kalten Schweiß auf der Haut und entwickeln einen unangenehmen (Schweiß-)Geruch. Tragen Sie lieber mehrere leichte Kleidungsstücke als nur ein schweres Kleidungsstück. Elastische und weite Kleidung ist angenehmer zu tragen als zu enge Kleidung, die am Körper klebt. Wählen Sie Kleidung, in der Sie sich wohl fühlen und sich selbst gefallen.

Gymnastiklatschen oder Joggingschuhe sind zum Üben zu Hause nur wenig geeignet. Die Gymnastikschuhe geben keinen festen Halt und verfügen über kein Fußbett. Joggingschuhe besitzen meist eine sehr breite Laufsohle; wenn Sie mit diesen Schuhen umknicken, sind die Folgen für Ihr Sprunggelenk meist schwerwiegend.

Für die Gymnastik sollten Sie normale Sportschuhe mit flachen Sohlen benutzen, im Fachhandel gibt es auch Schuhe, z. B. für Tennis und Aerobic, die gut geeignet sind; wenn Sie Ihren Füßen etwas gönnen wollen, sollten Sie barfuß trainieren.

Vier goldene Regeln

- Atmen Sie gleichmäßig, vermeiden Sie Preßatmung! Besonders Anfänger neigen dazu, immer dann, wenn es anstrengt, die Luft anzuhalten. Atmen Sie während der Übungsdurchführungen ruhig und gleichmäßig. Atmen Sie aus, wenn Sie die Muskulatur anspannen und einen Widerstand überwinden. Ein Tip: Wenn es mit der Atmung nicht klappen sollte, zählen Sie jede Wiederholung mit. Dadurch sind Sie gezwungen, auch während der Übung immer zu atmen!
- Ebenso wichtig wie die Atmung sind die richtige Körperhaltung und die die korrekte Technik. Lesen Sie die Übungsbeschreibungen sorgfältig durch. Vergleichen Sie die Beschreibungen mit den Fotos. Beginnen Sie erst dann mit der Übung.
- Konzentrieren Sie sich. Gerade Warm-up, gymnastische Elemente oder das Stretching werden häufig ‹so nebenbei› erledigt. Unkonzentriertheit, Ermüdung und Überforderung sind häufige Ursachen von Verletzungen, z. B. dem ‹Umknicken› im Fußgelenk.
- Ebenso konzentriert wie das Warm-up sollten Sie auch das Cooldown betreiben. Es entspannt, lockert die Muskulatur und bringt Ihren Kreislauf wieder runter. Nun haben Sie viel mehr Lust auf das nächste Mal.

Die Übungen

Auch wenn die Fotos die Übung oft nur zu einer Seite zeigen, sollten Sie selbstverständlich abwechselnd nach rechts und links trainieren.

Warm-up

Bevor Sie in den Hauptteil, den speziellen Bodytrainer, einsteigen, sollten Sie immer die folgenden Aufwärmübungen durchführen. Das Herz-Kreislauf-System wird ebenso wie die Muskulatur, die Sehnen, Bänder und Kapseln auf die künftige Belastung vorbereitet. Ihre Bewegungen werden geschmeidiger und fallen Ihnen zunehmend leichter.
Zum Warm-up und zum Ausdauertraining können Sie Musik als Rhythmusgeber einsetzen, während des Bodytrainer-Teils sollten Sie auf eine musikalische Untermalung verzichten. Ohne Musik können Sie sich ganz auf die Übungen konzentrieren. Denken Sie auch daran, daß wir in der heutigen Lebensumwelt genügend audiovisuelle Reize zu verarbeiten haben – in der Freizeit sollten Sie Zeit für sich finden und die Chance nutzen, in Ihren Körper und Ihre Seele hineinzuhören.
Sollten Sie sich umfassend über das Thema Warm-up und Cool-down informieren wollen, empfehlen wir den Band: *Aufwärmen im Sport (rororo 8642).*

Laufen Sie auf der Stelle – erst langsam, dann zunehmend schneller! Sie bringen Ihr Herz-Kreislauf-System in Schwung, die Muskulatur wird besser durchblutet.

RPE 11–13

Beim Laufen heben Sie die Oberschenkel an. Mit dem Oberkörper nicht nach hinten kippen. Behalten Sie den Laufrhythmus bei.
RPE 11–13

Beim Laufen locker mit den Armen vor- und zurückkreisen. Behalten Sie den Laufrhythmus bei.
RPE 11–13

Laufen auf der Stelle. Führen Sie vor dem Körper einen Arm und den gegengleichen Fuß zusammen. Wechsel.
RPE 11–13

Laufen auf der Stelle. Führen Sie hinter dem Körper rechten Arm und linken Fuß zusammen. Wechsel.
RPE 11 – 13

Ein Ellbogen und ein Knie berühren sich vor dem Körper. Halten Sie Ihren Oberkörper dabei aufrecht!
RPE 11–13

Mit jedem zweiten Schritt ziehen Sie ein Bein nach außen hoch.
Wechsel.
RPE 11–13

Hüpfen Sie mit Armeinsatz wie ein Hampelmann. Auch eine tolle Übung für Ihre Koordination!

RPE 11–13

Laufen Sie zwei Schritte zur Seite; führen Sie dabei Ihre Arme in Schulterhöhe zur anderen Seite.
RPE 11–13

Gehen Sie im Wechsel mit einem Ellbogen an das gegenüberliegende Knie.

RPE 11–13

Hüpfen Sie auf der Stelle. Verdrehen Sie Ober- und Unterkörper wechselnd nach rechts und links.
RPE 11–13

Dehnungen

Die Dehnungsübungen stehen immer vor den Kräftigungsübungen des Bodytrainers. Bei der Übungsauswahl haben wir darauf geachtet, daß bei den Dehnungen alle im Hauptteil beanspruchten Muskeln berücksichtigt werden.

Bei den Übungsbeschreibungen sind immer die Wiederholungszahlen angegeben. Die Dauer der Dehnungen sollte je nach Muskelgruppe und Trainiertheit 10 bis 20 Sekunden je Übungsdurchführung betragen. Vertrauen Sie dabei Ihrem Gefühl. In der Endstellung soll in der Muskulatur eine spürbar-wohlige Dehnung zu spüren sein.

Seitliche Hals- und Nackenmuskulatur

Ziehen Sie Ihren Kopf langsam zur Seite – schauen Sie dabei immer geradeaus. Dreimal je Seite. Auf die hochgeklappte untere Hand achten!

Seitliche Hals- und Nackenmuskulatur

Ziehen Sie den angewinkelten Arm in Richtung der gegenüberliegenden Schulter. Dreimal je Seite.

Umfassen Sie das Handgelenk hinter Ihrem Rücken, und ziehen Sie den Arm schräg abwärts. Dreimal je Seite.

Sie legen die Hand zwischen die Schulterblätter und ziehen den Ellbogen nach hinten-unten. Dreimal je Seite.

In Verlängerung des Schultergürtels wird der gestreckte Arm zum Boden gebracht. Dreimal je Seite.

Legen Sie die gestreckten Arme auf einen Stuhl, und senken Sie den Oberkörper ab, bis Sie eine wohlige Dehnung in der Brustmuskulatur verspüren. Dreimal.

Sie heben mit gestreckten Armen den Oberkörper ab. Dreimal.

8 Beinanzieher (Adduktoren)

Im Schneidersitz, die Fußsohlen stoßen aneinander, bringen Sie mit Druck der Ellbogen die Knie nach unten. Dreimal.

Beinanzieher (Adduktoren)

Beugen Sie bei geradem Rücken das linke Bein so weit, bis Sie eine deutliche Spannung an der Innenseite des rechten Oberschenkels verspüren. Stützen Sie sich an der Hüfte ab. Dreimal je Seite.

Das linke Bein ist übergeschlagen und steht oberhalb des rechten Knies neben dem Oberschenkel auf. Der Rumpf wird verwrungen, dabei wird mit dem rechten Ellbogen das linke Knie nach innen gedrückt. Dreimal je Seite.

Ein Bein wird gebeugt über das andere gebracht, der Kopf dreht sich zur anderen Seite. Die Arme sind zur Seite gestreckt. Dreimal je Seite.

Sie umfassen das gebeugte Knie und ziehen das Bein zu sich heran. Dreimal je Seite.

Im Ausfallschritt legen Sie das linke Knie auf den Boden und gehen bei geradem Rücken nach unten, bis Sie Spannung in Hüfte und Oberschenkel spüren. Dreimal je Seite.

14 Vordere Oberschenkelmuskulatur

Bei geradem Rücken und fixiertem Becken ziehen Sie den Unterschenkel zum Gesäß. Dreimal je Seite.

Bei geradem Rücken, die Stirn liegt auf dem Handrücken auf, ziehen Sie den Unterschenkel zum Gesäß. Dreimal je Seite.

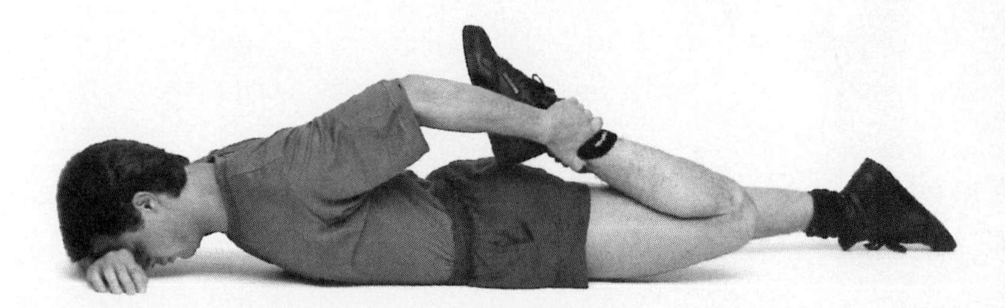

16 Hintere Oberschenkelmuskulatur

Beugen Sie bei geradem Rücken den Oberkörper nach vorn, und richten Sie sich wieder auf. Dreimal.

Bringen Sie Ihr hinteres Bein so weit nach hinten, daß Sie mit der Ferse gerade noch Kontakt zum Boden haben. Das Kniegelenk ist vollkommen gestreckt. Stützen Sie sich mit den Händen ab. Dreimal je Seite.

Variation:
Das hintere Bein wird während der Dehnung gebeugt, die Ferse behält Bodenkontakt.

18 Rücken- und Gesäßmuskulatur

Umfassen Sie die Schienbeine, ziehen Sie die Oberschenkel maximal zum Körper, und beugen Sie den Kopf zu den Knien. Dreimal.

Der Bodytrainer:
ARME
SCHULTERN

Lesen Sie zuerst die Übungsbeschreibungen intensiv durch, schauen Sie die Bilder an, und üben Sie erst dann aktiv.
Zu jeder Übung finden Sie unten auf der Seite die Angaben zu den Belastungen. Sind Sie Anfänger, sollten Sie sich an der Stufe 1 orientieren, wenn Sie schon fortgeschritten sind, an der Stufe 2. Vergewissern Sie sich anhand der RPE-Skala (S. 28), welcher Grad der Belastung angestrebt werden soll. Üben Sie langsam und gleichmäßig. Die Übungen sind in Übungen für Arme und Schultergürtel, Bauch, Taille und Rücken sowie Gesäß und Beine aufgegliedert. Vermeiden Sie einseitiges Üben. Benutzen Sie für die Übungen eine weiche Unterlage.

Neigen Sie Ihren Kopf langsam im Wechsel zur einen und zur anderen Seite. Schauen Sie dabei immer geradeaus.

Variation:
- In der jeweiligen Endposition für einige Sekunden verharren

	Stufe 1	Stufe 2
Wdh.	5	8
Serien	1	1
RPE	11–13	14–16

Ziehen Sie nur die Schultern nach oben.

Variationen:
- Im Wechsel die rechte und die linke Schulter nach oben ziehen
- Eine oder beide Schultern nach vorne und nach hinten kreisen
- Beide Schultern kreisen

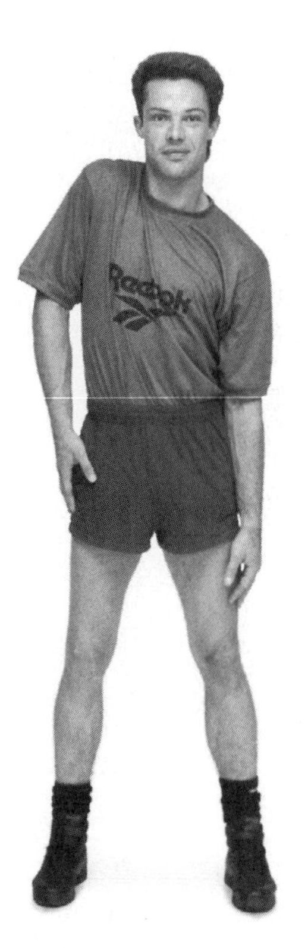

	Stufe 1	Stufe 2
Wdh.	6	10
Serien	1	2
Pause	–	30 sec
RPE	11–13	14–16

Drehen Sie die Arme im Schultergelenk ein und aus.

Variation:
- Bleiben Sie für einige Sekunden in der jeweiligen Endposition

	Stufe 1	Stufe 2
Wdh.	6	10
Serien	1	2
Pause	–	30 sec
RPE	11–13	13–16

Führen Sie die gestreckten Arme vor dem Körper zusammen und wieder auseinander.

Variation:

- Dabei die Hände zu Fäusten kraftvoll schließen und wieder öffnen

	Stufe 1	Stufe 2
Wdh.	8	10
Serien	1	2
Pause	–	30 sec
RPE	11–13	14–16

Ziehen Sie den Ellbogen mit kraftvoll geschlossener Faust nach hinten-oben.

Variation:

- Bleiben Sie für einige Sekunden in der Endposition

	Stufe 1	Stufe 2
Wdh.	8	10
Serien	1	2
Pause	–	30 sec
RPE	11–13	14–16

Ziehen Sie die Ellbogen mit kraftvoll geschlossener Faust nach hinten-oben.

Variation:
- Bleiben Sie für einige Sekunden in der Endposition

	Stufe 1	Stufe 2
Wdh.	8	10
Serien	1	2
Pause	–	30 sec
RPE	11–13	14–16

Nach vorn gezogene Schultern und leicht einwärts gedrehte Arme: Ziehen Sie die Schultern im Wechsel nach vorne und hinten.

	Stufe 1	Stufe 2
Wdh.	6	8
Serien	1	2
Pause	–	30 sec
RPE	11–13	14–16

B 8 Arme und Schultern

Drehen Sie die gestreckten Arme in Schulterhöhe ein und aus.

Variation:

- Beschreiben Sie kleine Kreise mit den Armen

	Stufe 1	Stufe 2
Wdh.	8	10
Serien	1	2
Pause	–	30 sec
RPE	11–13	14–16

Strecken Sie mit vorgeneigtem Oberkörper bei geradem Rücken beide Arme nach hinten-oben.

Variation:

- Bleiben Sie für einige Sekunden in der Endposition

	Stufe 1	Stufe 2
Wdh.	6	8
Serien	1	2
Pause	–	30 sec
RPE	11–13	13–16

B 10 Arme und Schultern

Schrittstand, die linke Hand ist auf das rechte Kniegelenk gestützt, die andere Hand wird unter ständiger muskulärer Spannung nach hinten geführt.

Variation:

- Bleiben Sie für einige Sekunden in der Endposition

	Stufe 1	Stufe 2
Wdh.	8	12
Serien	1	2
Pause	–	30 sec
RPE	11–13	13–16

Fixieren Sie mit einer Hand den anderen Oberarm, der nach oben zeigt. Strecken und beugen Sie den Arm.

	Stufe 1	Stufe 2
Wdh.	8	12
Serien	1	2
Pause	–	30 sec
RPE	11–13	13–16

Stützen Sie sich mit leicht nach innen gedrehten Händen auf; die Beine liegen knapp oberhalb der Knie auf; der Rücken ist gerade. Beugen und strecken Sie die Arme.

Variationen:

- Für einige Sekunden in der unteren Stellung bleiben, bevor Sie wieder nach oben kommen
- Jeweils für einige Sekunden in einer oberen, einer mittleren und einer unteren Position bleiben

- Klassische Ausführung des Liegestütz

	Stufe 1	Stufe 2
Wdh.	6	8
Serien	1	2
Pause	–	60 sec
RPE	13–15	14–18

Arme und Schultern

Einarmiger Liegestütz. Sie verlagern Ihr Körpergewicht auf den rechten Arm und beugen und strecken den Arm.

	Stufe 1	Stufe 2
Wdh.	–	6
Serien	–	2
Pause	–	60 sec
RPE	–	16–20

Liegestütz rückwärts. Beugen und strecken Sie die Arme.

	Stufe 1	Stufe 2
Wdh.	6	8
Serien	1	2
Pause	–	30 sec
RPE	13–15	15–16

Durch Druck des rechten Arms richten Sie sich seitlich auf.

Variation:

- Jeweils für einige Sekunden in einer oberen, einer mittleren und einer unteren Position bleiben

	Stufe 1	Stufe 2
Wdh.	6	8
Serien	1	2
Pause	–	30 sec
RPE	13–15	14–16

Der Bodytrainer:

BAUCH

TAILLE

BAUCH und TAILLE

Sollten Sie sich mehr um Ihren Bauch kümmern wollen, empfehlen wir: *Bodytrainer Männer: Bauch (rororo 9438).*

Rollen Sie Ihren Oberkörper unter maximaler Bauchspannung leicht ein. Schieben Sie die Hände seitlich am Körper vorbei, als würden Sie eine Wand wegdrücken.

Variationen:
- Heben und senken Sie den Oberkörper
- Halten Sie den abgehobenen Oberkörper für 3 bis 10 Sekunden
- Jeweils für einige Sekunden in der oberen, einer mittleren und einer unteren Position bleiben

	Stufe 1	Stufe 2
Wdh.	4	8
Serien	2	2–4
Pause	30 sec	45 sec
RPE	13–15	14–16

B 17 Gerade Bauchmuskulatur

Stützen Sie den Kopf mit den Händen, und rollen Sie Ihren Oberkörper unter maximaler Bauchspannung leicht ein.

Variationen:
- Heben und senken Sie den Oberkörper
- Halten Sie den abgehobenen Oberkörper für 3 bis 7 Sekunden
- Jeweils für einige Sekunden in der oberen, einer mittleren und einer unteren Position bleiben

	Stufe 1	**Stufe 2**
Wdh.	2	4–6
Serien	3	2–4
Pause	20 sec	30 sec
RPE	14–15	15–17

Strecken Sie die rechte Hand in Richtung des rechten Knies. Heben Sie den Kopf und Oberkörper mit einer einrollenden Bewegung vom Boden ab und führen die rechte Hand am rechten Knie vorbei.

Variationen:
- Heben und senken Sie den Oberkörper
- Halten Sie den abgehobenen Oberkörper für 3 bis 7 Sekunden

	Stufe 1	Stufe 2
Wdh.	4	6
Serien	2	2–4
Pause	30 sec	45 sec
RPE	13–15	14–16

B 19 Gerade Bauchmuskulatur

Strecken Sie die Arme, und überkreuzen Sie sie über dem Kopf. Heben Sie Ihren Oberkörper leicht an.

Variationen:
- Heben und senken Sie den Oberkörper
- Halten Sie den abgehobenen Oberkörper für 2 bis 5 Sekunden
- Jeweils für einige Sekunden in der oberen, einer mittleren und einer unteren Position bleiben

	Stufe 1	Stufe 2
Wdh.	4	6
Serien	2	2–4
Pause	30 sec	45 sec
RPE	15	15–17

Strecken Sie die Arme nach vorn und das linke Bein nach oben. Heben Sie das rechte Bein etwas vom Boden, und führen Sie die Arme in einer Rumpfbeugung nach vorne.

Variationen:

- Heben und senken Sie den Oberkörper
- Halten Sie die Endposition für 2 bis 5 Sekunden

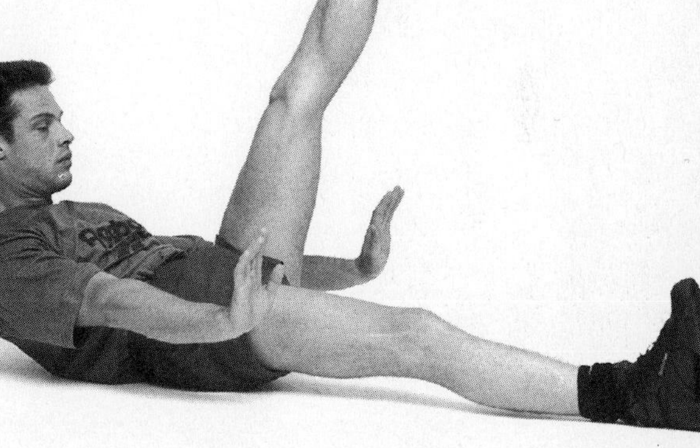

	Stufe 1	Stufe 2
Wdh.	4	6
Serien	2	2–4
Pause	30 sec	45 sec
RPE	13–15	14–16

Gerade Bauchmuskulatur

Strecken Sie die Arme nach oben und heben Kopf und Schulter vom Boden ab. Führen Sie den Körper wieder langsam in die Ausgangsposition zurück.

Variationen:

- Heben und senken Sie den Oberkörper
- Halten Sie die Endposition für 2 bis 5 Sekunden
- Jeweils für einige Sekunden in der oberen, einer mittleren und einer unteren Position bleiben

	Stufe 1	Stufe 2
Wdh.	4	8
Serien	2	2
Pause	30 sec	30 sec
RPE	13–15	14–16

Spreizen Sie die gestreckten Beine nach außen ab. Heben Sie den Kopf und die Schultern vom Boden ab.

Variationen:
- Heben und senken Sie den Oberkörper
- Halten Sie die Endposition für 2 bis 5 Sekunden
- Jeweils für einige Sekunden in der oberen, einer mittleren und einer unteren Position bleiben

	Stufe 1	Stufe 2
Wdh.	4	6
Serien	2	2–4
Pause	30 sec	30 sec
RPE	13–15	14–16

Gerade Bauchmuskulatur

Heben Sie Kopf und Schultern vom Boden ab, und führen Sie gleichzeitig die Beine zur Körpermitte.

Variationen:

- Führen Sie die Bewegung dynamisch aus
- Lassen Sie den Oberkörper am Boden, und führen Sie nur die Beine zur Körpermitte
- Halten Sie die abgehobene Position für 3 bis 7 Sekunden
- Jeweils für einige Sekunden in einer mehr oder weniger eingerollten Position bleiben

	Stufe 1	Stufe 2
Wdh.	4	6
Serien	2	2–4
Pause	30 sec	30 sec
RPE	13–15	14–16

Heben Sie aus dieser Position das Gesäß an und führen es wieder zurück. Nicht ruckartig üben.

Variation:
- Halten Sie die abgehobene Position für 3 bis 5 Sekunden

	Stufe 1	Stufe 2
Wdh.	4	6
Serien	2	2
Pause	30 sec	30 sec
RPE	13–15	14–16

B 25 Schräge Bauchmuskulatur

Heben Sie mit einer leichten Einwärtsdrehung Kopf und Schultern an, und nähern Sie sich dem gegenüberliegenden Knie. Die Füße sind aufgestellt.

Variationen:

- Heben und senken Sie den Oberkörper
- Halten Sie die Endposition für 3 bis 7 Sekunden
- Jeweils für einige Sekunden in einer oberen, mittleren und unteren Position bleiben

	Stufe 1	Stufe 2
Wdh.	6	6
Serien	1	2
Pause	–	30 sec
RPE	13–15	14–16

Heben Sie den Kopf und die linke Schulter an, und führen Sie die gestreckten Arme am gegenüberliegenden Oberschenkel vorbei.

Variationen:

- Heben und senken Sie den Oberkörper
- Halten Sie den abgehobenen Oberkörper für 3 bis 7 Sekunden
- Jeweils für einige Sekunden in einer oberen, mittleren und unteren Position bleiben

	Stufe 1	Stufe 2
Wdh.	4	6
Serien	1	2
Pause	–	30 sec
RPE	13–15	14–16

B 27 Schräge Bauchmuskulatur

Heben Sie Kopf und Schultern vom Boden ab und führen einen Ellbogen zum gegengleichen Knie.

Variationen:
- Führen Sie die Bewegung dynamisch aus
- Halten Sie die abgehobene Position 3 bis 7 Sekunden
- Jeweils für einige Sekunden in einer oberen, mittleren und unteren Position bleiben
- Heben Sie verstärkt den Oberkörper an
- Ziehen Sie verstärkt die Beine zum Körper

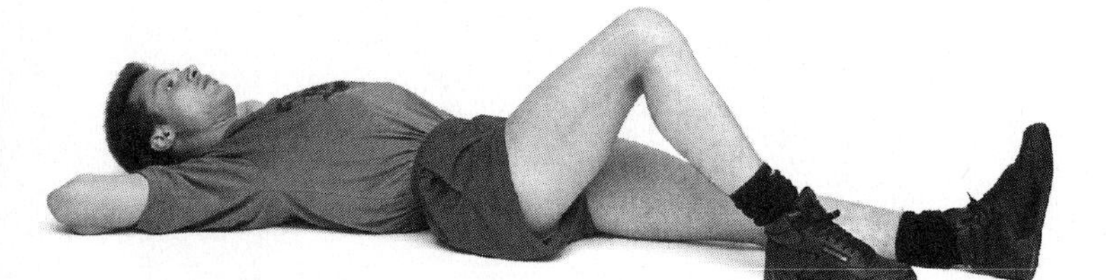

	Stufe 1	Stufe 2
Wdh.	4	6
Serien	1	2
Pause	–	30 sec
RPE	13–15	14–16

Führen Sie mit einer Drehung der Hüfte die Beine rechts und links über den Stuhl.

Variationen:
- Führen Sie die Bewegung dynamisch aus
- Halten Sie die Position kurz über dem Boden für jeweils 2 bis 5 Sekunden

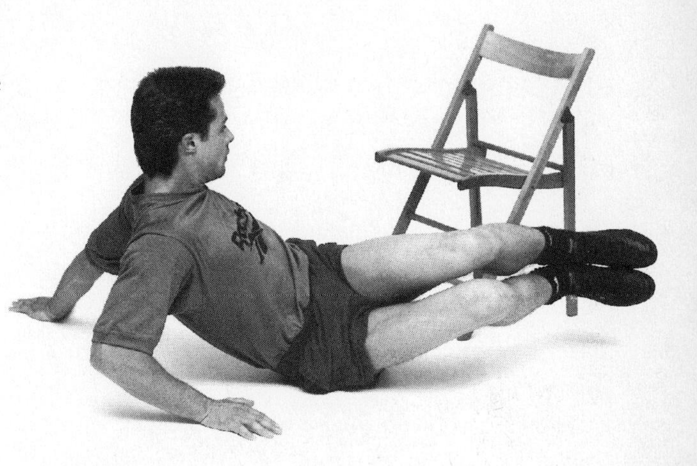

	Stufe 1	Stufe 2
Wdh.	6	8
Serien	1	2
Pause	–	30 sec
RPE	13–15	14–16

Bauch- und Hüftbeugemuskulatur

Beugen und strecken Sie das rechte und das linke Bein; beide Beine sind ständig in der Luft. Halten Sie den Rücken gerade.

Variationen:

- Führen Sie die Bewegung dynamisch aus
- Halten Sie die Position für jeweils 3 bis 7 Sekunden
- Übung auch ohne Abstützen der Arme durchführen

	Stufe 1	Stufe 2
Wdh.	8	10
Serien	1	2
Pause	–	30 sec
RPE	13–15	14–16

Sie drehen Ihren Oberkörper langsam und gleichmäßig nach links und nach rechts. Bewegen Sie sich niemals ruckartig.

Variationen:
- Halten Sie die Endposition für 5 bis 8 Sekunden
- Federn Sie in der Endposition

	Stufe 1	Stufe 2
Wdh.	8	10
Serien	1	2
Pause	–	30 sec
RPE	11–13	13–15

B 31 Taille

Strecken Sie mit einer leichten Seitneigung den oberen Arm; versuchen Sie den Arm so weit wie möglich zu strecken. Während der Übung behalten beide Füße vollständigen Bodenkontakt. Spüren Sie der Muskelspannung nach, und wechseln Sie erst dann.

Variationen:
- Bleiben Sie für 5 bis 10 Sekunden in der Endstellung
- Federn Sie mehrfach in der Endposition

	Stufe 1	Stufe 2
Wdh.	6	8
Serien	1	2
Pause	–	30 sec
RPE	13–15	14–16

Im stabilen Stand fassen Sie die nach oben gestreckten Hände über dem Kopf. Neigen Sie sich maximal weit zur Seite. Verdrehen Sie nicht Ihren Oberkörper.

Variationen:
- Federn Sie mehrfach in der Endposition
- Bleiben Sie für 5 bis 10 Sekunden in der Endstellung

	Stufe 1	Stufe 2
Wdh.	6	8
Serien	1	2
Pause	–	30 sec
RPE	13–15	14–16

Heben Sie beide Beine einige Zentimeter vom Boden ab, und führen Sie sie nach vorn und wieder zurück.

Variation:

- Federn Sie einige Male in der abgehobenen Stellung mit den Beinen

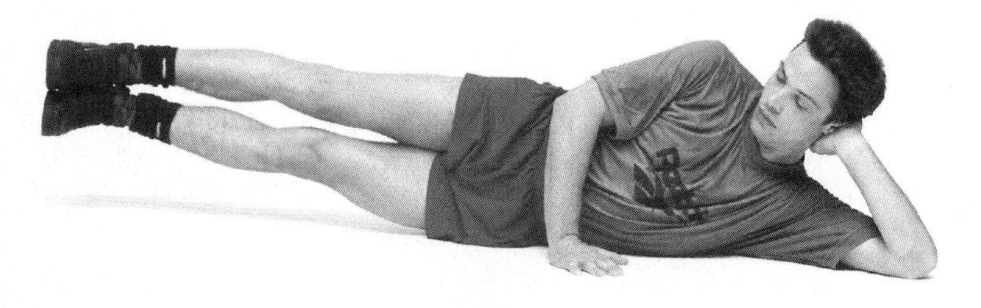

	Stufe 1	Stufe 2
Wdh.	8	12
Serien	1	1
RPE	13–15	14–16

Heben Sie beide Beine einige Zentimeter geschlossen vom Boden ab.

Variation:

- Federn Sie einige Male in der abgehobenen Stellung mit den Beinen

	Stufe 1	Stufe 2
Wdh.	8	10
Serien	1	2
Pause	–	30 sec
RPE	13–15	14–16

Beugen Sie ein Bein und schlagen Sie es über das andere Bein. Beide Arme sind in Richtung des Fußes gestreckt. Heben Sie Ihren Oberkörper leicht an und senken ihn wieder ab.

Variationen:
- Bleiben Sie für 2 bis 5 Sekunden in der abgehobenen Position
- Jeweils für einige Sekunden in der oberen, einer mittleren und der unteren Position bleiben
- Beide Beine anwinkeln und Oberkörper abheben

	Stufe 1	Stufe 2
Wdh.	4	6
Serien	1	2
Pause	–	30 sec
RPE	13–15	14–16

Der Bodytrainer:
RÜCKEN

Mehr zum Thema schöner und gesunder Rücken bietet der Band: *Der Rückentrainer. Vorbeugen mit dem Aktivprogramm (rororo 9413).*

Strecken Sie die Arme nach vorn auf den Boden, und heben Sie mit einer leichten Drehung des Oberkörpers abwechselnd den rechten und den linken Arm ab.

Variation:

- Bleiben Sie für 2 bis 5 Sekunden in der abgehobenen Position

	Stufe 1	Stufe 2
Wdh.	6	10
Serien	1	2
Pause	–	30 sec
RPE	11–14	12–15

Schultergürtel- und Rückenmuskulatur

Strecken Sie beide Arme nach oben, machen Sie sich so lang wie möglich.

Variation:

- Bleiben Sie für 3 bis 10 Sekunden in der gestreckten Position

	Stufe 1	Stufe 2
Wdh.	3	5
Serien	1	2
Pause	–	30 sec
RPE	11–14	13–16

Mit nach vorn gestreckten Armen heben Sie den Oberkörper an. Versuchen Sie besonders viel Spannung im Gesäß aufzubauen.

Variation:
- Bleiben Sie für 3 bis 8 Sekunden in der abgehobenen Position

	Stufe 1	Stufe 2
Wdh.	4	8
Serien	1	2
Pause	–	30 sec
RPE	13–15	14–16

Schultergürtel- und Rückenmuskulatur

Strecken Sie abwechselnd den linken und den rechten Arm möglichst weit nach vorn. Ihr Oberkörper bleibt stabil.

Variation:

- Bleiben Sie für 3 bis 8 Sekunden in der Endposition

	Stufe 1	Stufe 2
Wdh.	6	8
Serien	1	2
Pause	–	30 sec
RPE	13–15	14–16

Heben Sie zusammen mit dem Oberkörper ein Bein an.

Variationen:
- Bleiben Sie für 3 bis 8 Sekunden in der Endposition
- Das abgehobene Bein in der Hüfte ein- und ausdrehen

	Stufe 1	Stufe 2
Wdh.	6	10
Serien	1	2
Pause	–	30 sec
RPE	13–15	14–16

B 41 Rückenstreck- und Schultergürtelmuskulatur

Während Sie den einen Arm leicht beugen, strecken Sie den anderen Arm maximal weit nach oben. Kippen Sie den Oberkörper nicht seitlich ab; spüren Sie ganz bewußt der Muskelspannung nach.

Variation:

- Bleiben Sie für 3 bis 8 Sekunden in der jeweiligen Endposition

	Stufe 1	Stufe 2
Wdh.	4	6
Serien	1	2
Pause	–	30 sec
RPE	13–15	14–16

Stellen Sie ein Bein gebeugt auf. Heben Sie das andere Bein gestreckt vom Boden ab und beugen und strecken es.

Variation:

- Bleiben Sie für 3 bis 5 Sekunden in der jeweiligen Endposition

	Stufe 1	Stufe 2
Wdh.	6	10
Serien	1	2
Pause	–	30 sec
RPE	13–15	14–16

Der Bodytrainer:

GESÄSS

BEINE

Beugen Sie ein Knie, und führen Sie den Oberschenkel des gebeugten Beines durch intensives Anspannen der Gesäßmuskulatur nach oben und wieder zurück.

Variation:

- Bleiben Sie für 3 bis 8 Sekunden in der jeweiligen Endposition

	Stufe 1	Stufe 2
Wdh.	6	8
Serien	1	2
Pause	–	30 sec
RPE	13–15	14–16

Spreizen Sie das gestreckte Bein nach oben ab. Die Fußspitze zeigt nach vorn. Nun beugen und strecken Sie das Knie.

	Stufe 1	Stufe 2
Wdh.	8	10
Serien	1	2
Pause	–	30 sec
RPE	13–15	14–16

Gesäß und Beine

Führen Sie das gebeugte rechte Bein nach außen-oben und halten es kurz in dieser Position. Achten Sie darauf, daß das Becken möglichst immer parallel zum Boden bleibt und nicht seitlich wegkippt.

Variationen:

- Federn Sie in der abgespreizten Position
- Bleiben Sie jeweils für einige Sekunden in der oberen, einer mittleren und der unteren Position

	Stufe 1	Stufe 2
Wdh.	5	8
Serien	1	2
Pause	–	30 sec
RPE	13–15	14–16

Heben Sie beide Beine leicht an. Aus dieser Position heben und senken Sie das obere Bein, die Fußspitze zeigt nach vorn.

Variationen:

- Die Fußspitze zeigt nach oben
- Führen Sie die Übung mit gestreckten und gebeugten Füßen durch
- Halten Sie die Endposition für 3 bis 8 Sekunden
- Federn Sie in der Endposition mit kleinen Bewegungsausschlägen
- Beugen und strecken Sie in der Endposition mehrfach das obere Bein

	Stufe 1	Stufe 2
Wdh.	4	8
Serien	1	2
Pause	–	30 sec
RPE	13–15	15–16

Führen Sie das leicht abgehobene und gestreckte obere Bein mit einer leichten Innendrehung vor den Körper und zurück.

Variation:

- Mit dem oberen Bein in der Endstellung mit geringem Bewegungsausschlag auf- und abfedern

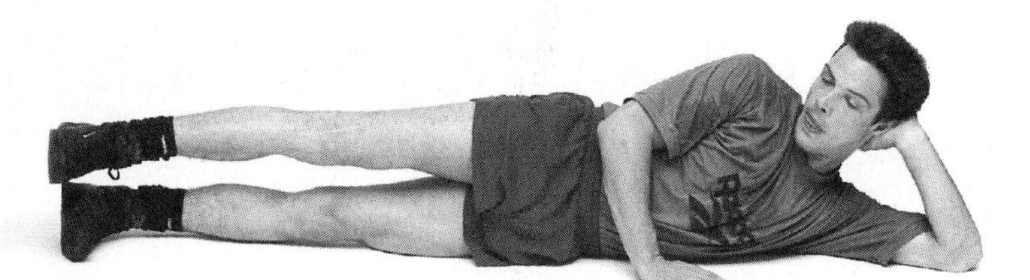

	Stufe 1	Stufe 2
Wdh.	4	8
Serien	1	2
Pause	–	30 sec
RPE	13–15	14–16

Heben und senken Sie Ihr Becken. Das Becken nur so weit anheben, daß es in der Körperlängsachse liegt. Kein Hohlkreuz!

Variationen:
- Halten Sie die abgehobene Position für 5 bis 10 Sekunden
- In der abgehobenen Position heben Sie ein Bein gestreckt an

	Stufe 1	Stufe 2
Wdh.	6	10
Serien	1	2
Pause	–	30 sec
RPE	13–15	14–16

Gesäß und Beine

Verlagern Sie Ihr Gewicht auf einen Arm und heben den gesamten Körper an, während Sie den rechten Arm maximal nach oben strecken. Halten Sie die Körperspannung.

	Stufe 1	Stufe 2
Wdh.	3	5
Serien	1	2
Pause	–	30 sec
RPE	13–15	14–16

Heben Sie Ihr Gesäß mit gestreckten Beinen an, bis der Rumpf eine Linie bildet. Nun heben Sie Ihr rechtes Bein an und senken es wieder.

Variationen:

- Halten Sie das abgehobene Bein für 5 bis 8 Sekunden
- Federn Sie mit dem gestreckten Bein
- Strecken und beugen Sie den Fuß des abgehobenen Beins
- Strecken und beugen Sie das abgehobene Bein im Hüftgelenk, ohne daß es den Boden berührt

	Stufe 1	Stufe 2
Wdh.	6	8
Serien	1	2
Pause	–	30 sec
RPE	13–15	14–16

Gesäß und Beine

Heben und senken Sie Ihr Becken, in der abgehobenen Position berühren sich die Innenseiten der Knie.

Variation:

- Halten Sie das abgehobene Becken für 5 bis 8 Sekunden

	Stufe 1	Stufe 2
Wdh.	4	6
Serien	1	2
Pause	–	30 sec
RPE	13–15	14–16

Pressen Sie die Fußinnenseiten bei leicht angewinkelten Kniegelenken aneinander. Nun beugen und strekken Sie die Beine, wobei Sie während der Bewegung die Knie auseinander- und während der Streckung wieder zusammenführen.

	Stufe 1	Stufe 2
Wdh.	6	8
Serien	1	2
Pause	–	30 sec
RPE	13–15	14–16

Heben Sie das rechte Bein, und führen Sie es mit einer Außendrehung im Hüftgelenk nach außen, anschließend mit einer leichten Innendrehung zur Körpermitte.

	Stufe 1	Stufe 2
Wdh.	6	8
Serien	1	2
Pause	–	30 sec
RPE	13–15	14–16

Legen Sie das obere gestreckte Bein vor Ihrem Körper ab.
Heben und senken Sie das untere Bein gleichmäßig.

Variationen:

- Mit dem unteren Bein in abgehobener Stellung auf- und abfedern
- Mit dem unteren Bein jeweils für einige Sekunden in der oberen, einer mittleren und der unteren Position bleiben

	Stufe 1	Stufe 2
Wdh.	5	8
Serien	1	2
Pause	–	30 sec
RPE	13–15	14–16

Heben und senken Sie Ihr Becken. Achten Sie darauf, daß Ihr Becken nicht seitlich abkippt.

Variation:

- Halten Sie das abgehobene Becken für 5 bis 8 Sekunden

	Stufe 1	Stufe 2
Wdh.	5	8
Serien	1	2
Pause	–	30 sec
RPE	13–15	14–16

Heben Sie das obere Bein in leicht gebeugter Stellung ab, und drehen Sie es in dieser Position im Hüftgelenk nach innen und nach außen.

	Stufe 1	Stufe 2
Wdh.	6	8
Serien	1	2
Pause	–	30 sec
RPE	13–15	14–16

Gesäß und Beine

Führen Sie das gestreckte Bein mit einer leichten Außendrehung in der Hüfte so weit wie möglich nach hinten. Kein Hohlkreuz!

Variation:
- Halten Sie die Endposition für einige Sekunden

	Stufe 1	Stufe 2
Wdh.	6	10
Serien	1	2
Pause	–	30 sec
RPE	13–15	14–16

Gehen Sie aus dem schulterbreiten Stand mit leichter Vorneigung und gerader Wirbelsäule in die halbe Kniebeuge und wieder zurück.

B 58 a Gesäß und Beine

Variationen:

- Bleiben Sie jeweils für einige Sekunden in verschiedenen Kniebeugewinkeln
- Führen Sie die Übung mit in der Hüfte nach außen gedrehten Beinen durch

	Stufe 1	Stufe 2
Wdh.	8	12
Serien	1	2
Pause	–	30 sec
RPE	13–15	14–16

Heben Sie Ihr Gesäß so weit an, bis der Rumpf eine Linie bildet. Strecken und beugen Sie das linke Bein.

	Stufe 1	Stufe 2
Wdh.	–	–
Serien	–	–
Pause	–	–
RPE	13–15	14–16

Strecken und beugen Sie den Fuß des abgehobenen Beins.

Variation:

- Bleiben Sie jeweils für einige Sekunden in gebeugter und gestreckter Position

	Stufe 1	Stufe 2
Wdh.	10	15
Serien	1	2
Pause	–	30 sec
RPE	13–15	14–16

Heben Sie Ihr Becken vom Boden, und spreizen Sie das obere Bein ab. Die Fußspitzen zeigen nach vorn.

Variation:

- Bleiben Sie für 3 bis 5 Sekunden in der Endstellung

	Stufe 1	Stufe 2
Wdh.	8	10
Serien	1	2
Pause	–	30 sec
RPE	13–15	14–16

Cool-down

Um sich nach dem sicher recht anstrengenden Training geistig und körperlich zu regenerieren, sollten Sie die Cool-down-Übungen immer durchführen.
Sie dienen zur Erholung und zum Ausschwemmen von Stoffwechselprodukten und dürfen auf keinen Fall mit einer so hohen Intensität durchgeführt werden, daß Sie sich anschließend erschöpft und müde fühlen. Erholen Sie sich während der Übungen!
Hören Sie, besonders während der entspannenden Dehnübungen, in Ihren Körper hinein. Beenden Sie das Bodytrainer-Programm so, daß Sie schon Lust auf das nächste Mal verspüren.
Außer den folgenden können Sie alle Übungen aus dem Warm-up nehmen, Sie müssen diese aber mit deutlich geminderter Intensität durchführen.

Strecken Sie sich. Machen Sie sich für einige Sekunden so lang wie möglich! Dreimal.

Strecken Sie einen Arm nach oben, und neigen Sie sich wechselnd zur rechten und zur linken Seite. Machen Sie sich so lang wie möglich! Achtmal.

In der Schrittstellung, rechtes Bein nach vorn gestellt, heben Sie Ihren rechten Arm; gleichzeitig bringen Sie Ihren linken Arm nach hinten. Strecken Sie ganz bewußt Ihren Rücken. Wechsel. Zehnmal.

Strecken Sie Ihre Arme, heben Sie Ihr Gesäß an, und rutschen Sie mit dem Oberkörper etwas nach vorn. Spüren Sie ganz bewußt der Dehnung in Brust, Armen und Schultern nach.

Ziehen Sie die Beine maximal zum Körper. Umfassen Sie die Schienbeine, und ziehen Sie den Kopf zu den Knien. Verbleiben Sie für einige Zeit in dieser Stellung; spüren Sie ganz bewußt die entspannende Wirkung dieser Übung.

Lassen Sie Ihren Oberkörper zwischen die Beine fallen. Verbleiben Sie für 1–2 Minuten in dieser Stellung, und spüren Sie die entspannende Wirkung der Übung.

Die Programme

Bodytrainer – Stufe 1

Aufwärmen

1
3
9

Abwärmen

1
6

Dehnung

3
5
8
12
15
16

Hauptteil

3
6
12
17
28
32
33
39
40
43
46
60

Bodytrainer – Stufe 2

Aufwärmen	Dehnung	Hauptteil
1	1	4
4	3	6
8	5	9
10	7	13
	9	17
	12	22
	13	26
	15	32
	16	36
	17	37
		40
		42
		43
		46
		48
		50
		61

Abwärmen
1
4
6

Bodytrainer – Büroprogramm

Beim Büroprogramm wurde darauf geachtet, daß alle Übungen im Stehen oder Sitzen durchgeführt werden können; besonders wurde die zu Verspannung neigende Hals-, Nacken- und Schultermuskulatur berücksichtigt.

Aufwärmen
1

Abwärmen
1
6

Dehnung
1
2
3
9
14
17

Hauptteil
1
2
3
4
7
9
32
33
39
43
60

Bodytrainer – Ausdauerprogramm

Beim Ausdauerprogramm sollte berücksichtigt werden, daß mindestens zehn bis zwölf Minuten Übungsdauer angestrebt werden.
Zu jeder Übung ist eine Richtzeit angegeben, die möglichst eingehalten werden sollte.

Übung	Dauer	Intensität	(RPE, Puls)
❶	2 Minuten	12–14	140–160
❷	1 Minute	12–13	140–150
❸	2 Minuten	12–14	140–160
❹	1 Minute	12–13	140–150
❺	1 Minute	12–13	140–150
❻	1 Minute	12–13	140–150
❼	30 Sekunden	12–13	140–150
❽	30 Sekunden	13–15	150–170
❾	1 Minute	12–13	140–150
❿	30 Sekunden	12–13	140–150
⓫	1 Minute	12–14	140–160

Die Autoren

Sabine Letuwnik, Jahrgang 1963, ist staatlich geprüfte Gymnastiklehrerin. Nach ihrer Ausbildung sammelte sie als Fitneßtrainerin zwei Jahre Erfahrungen im Ausland. Nach Deutschland zurückgekehrt, war sie als Geschäftsführerin in einem Frauen-Fitneß-Studio tätig, bevor sie sich mit einem Frauenstudio selbständig machte. Sabine Letuwnik ist Mutter zweier Kinder und hat mittlerweile mehrere Bücher zu den Themenbereichen ‹Figur und Fitneß› veröffentlicht.

Dr. phil. Jürgen Freiwald, Jahrgang 1957, ist Sportwissenschaftler und arbeitet an der orthopädischen Universitätsklinik in Frankfurt. Er beschäftigt sich seit vielen Jahren besonders mit präventiven und rehabilitativen Maßnahmen in Sport und Medizin. Als Inhaber eines Fitneß- und Gesundheitszentrums konnte er viele praktische Erfahrungen sammeln. Neben vielen wissenschaftlichen Veröffentlichungen ist er im Sportbuchbereich einer der meistpublizierten Autoren.

rororo-Buchtips

Sabine Letuwnik, «Bodytrainer Bauch, Taille, Hüfte. Das 10-Minuten-Programm» (9407)
Sabine Letuwnik, «Bodytrainer Brust und Arme. Das 10-Minuten-Programm» (9408)
Sabine Letuwnik, «Bodytrainer Po und Beine. Das 10-Minuten-Programm» (9409)
Sabine Letuwnik/Jürgen Freiwald, «Der Rückentrainer. Vorbeugen mit dem Aktivprogramm» (9413)
Sabine Letuwnik/Jürgen Freiwald, «Bodytrainer Männer: Bauch» (9438)
Otti Krempel, «Anti-Cellulite-Training. Das Programm für eine schöne Haut» (9412)
Otti Krempel, «Problemzonengymnastik» (9411)
Margot Zeitvogel, «Aqua-Training. Übungen und Programme» (8698)
Erika Groos/Dorothee Rothmaier, «Ausdauertraining. Neue Aerobics von 20 bis 70» (8693)
Ingo Jarosch, «Die acht Brokate. Kraft und Entspannung aus dem Reich der Mitte» (9648)
Dorothea Jöllenbeck, «Bewegung von Kopf bis Fuß. Fitness für Körper und Sinne» (8670)
Ingo Jarosch, «Tai Chi. Neue Körpererfahrung und Entspannung» (8803)
Karl-Peter Knebel, «Fitnessgymnastik. Körpertraining für jeden» (8636)
Heidy Lambelet, «Hinter den Augen lächeln. Körperübungen zum Entspannen und Wohlfühlen» (9780)
Günther Samitz, «Das Wellness-Programm» (9441)
Herbert Jost, «Wege zum Wunschgewicht» (9792)
Kathy Smith, «Walkfit. Das sanfte Bodytraining» (9444)
Klaus Lubbers, «Vom Trotten. Die Kunst des gemächlichen Laufens» (9420)
Jürgen Freiwald/Sabine Letuwnik, «Partnergymnastik. Mehr Fitness-Spaß zu zweit» (8686)

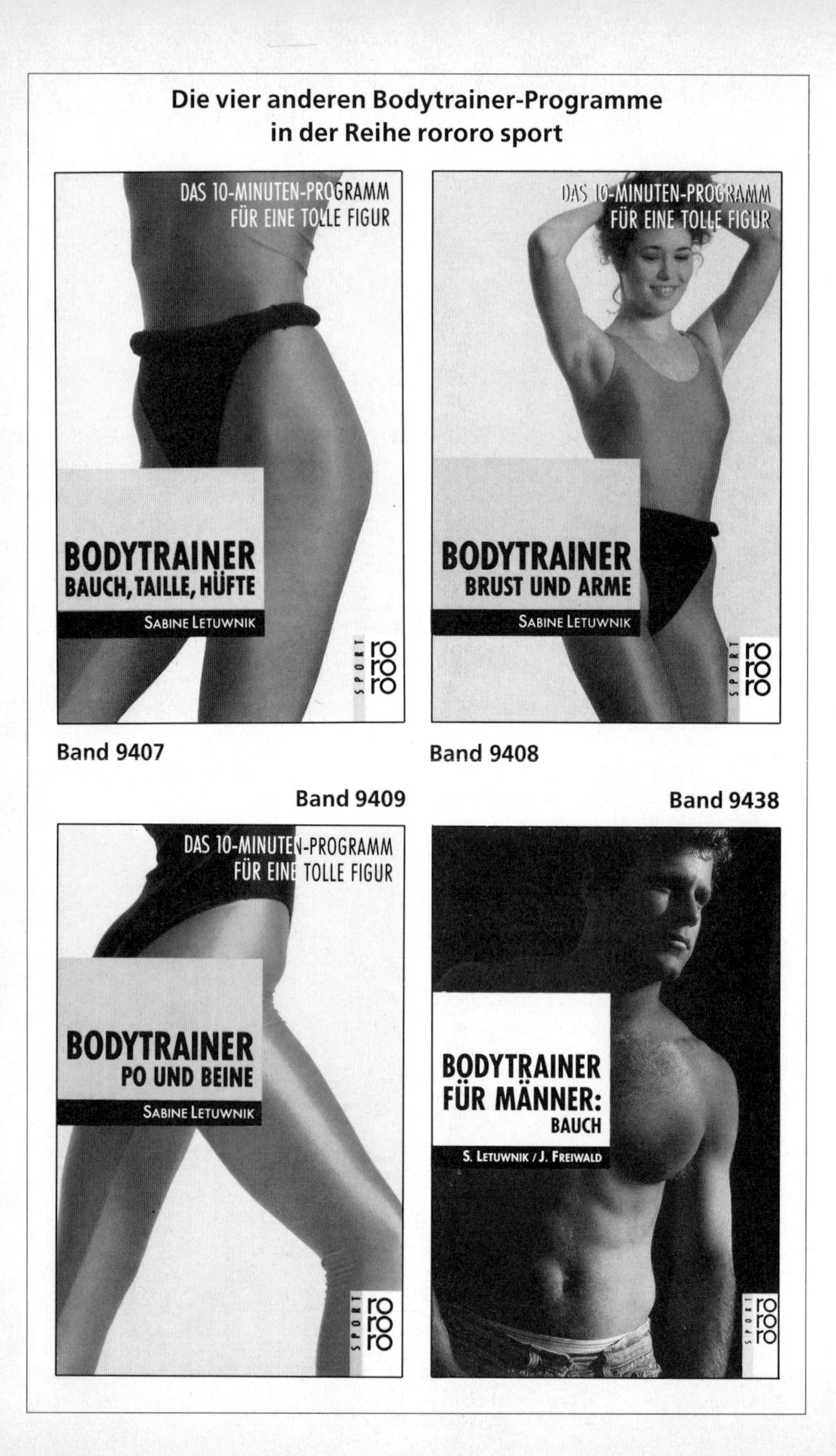
Die vier anderen Bodytrainer-Programme
in der Reihe rororo sport
DAS 10-MINUTEN-PROGRAMM
FÜR EINE TOLLE FIGUR
BODYTRAINER
BAUCH, TAILLE, HÜFTE
SABINE LETUWNIK
SPORT
rororo
Band 9407
DAS 10-MINUTEN-PROGRAMM
FÜR EINE TOLLE FIGUR
BODYTRAINER
BRUST UND ARME
SABINE LETUWNIK
SPORT
rororo
Band 9408
Band 9409
DAS 10-MINUTEN-PROGRAMM
FÜR EINE TOLLE FIGUR
BODYTRAINER
PO UND BEINE
SABINE LETUWNIK
SPORT
rororo
Band 9438
BODYTRAINER
FÜR MÄNNER:
BAUCH
S. LETUWNIK / J. FREIWALD
SPORT
rororo